Ludwig van

BEETHOVEN

Choral Fantasy

Op. 80

(Xaver Scharwenka)

Vocal Score

Klavierauszug

SERENISSIMA MUSIC, INC.

Fantasia

for

Piano, Chorus and Orchestra

Op. 80

Ludwig van Beethoven

Piano reduction by Xaver Scharwenka

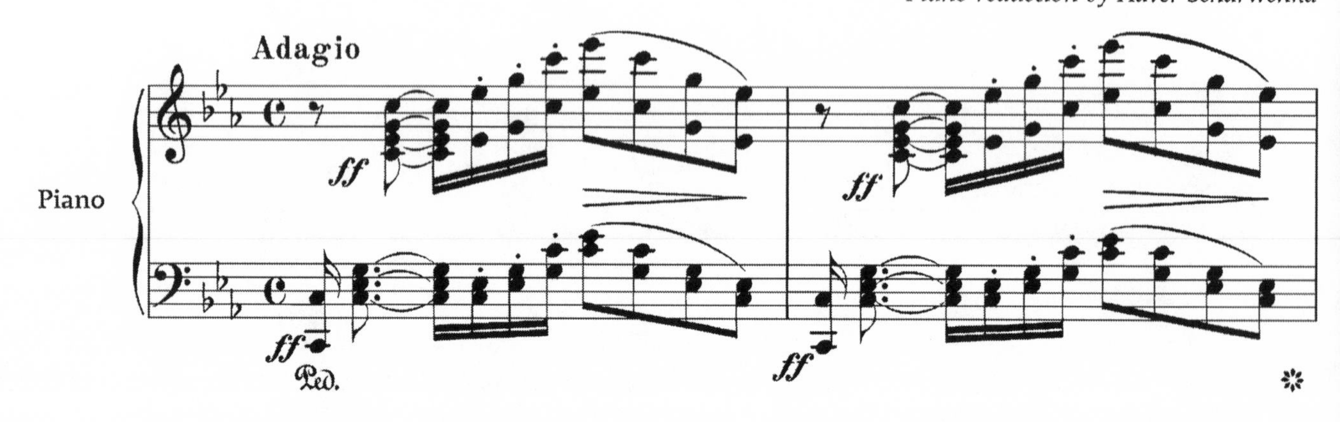

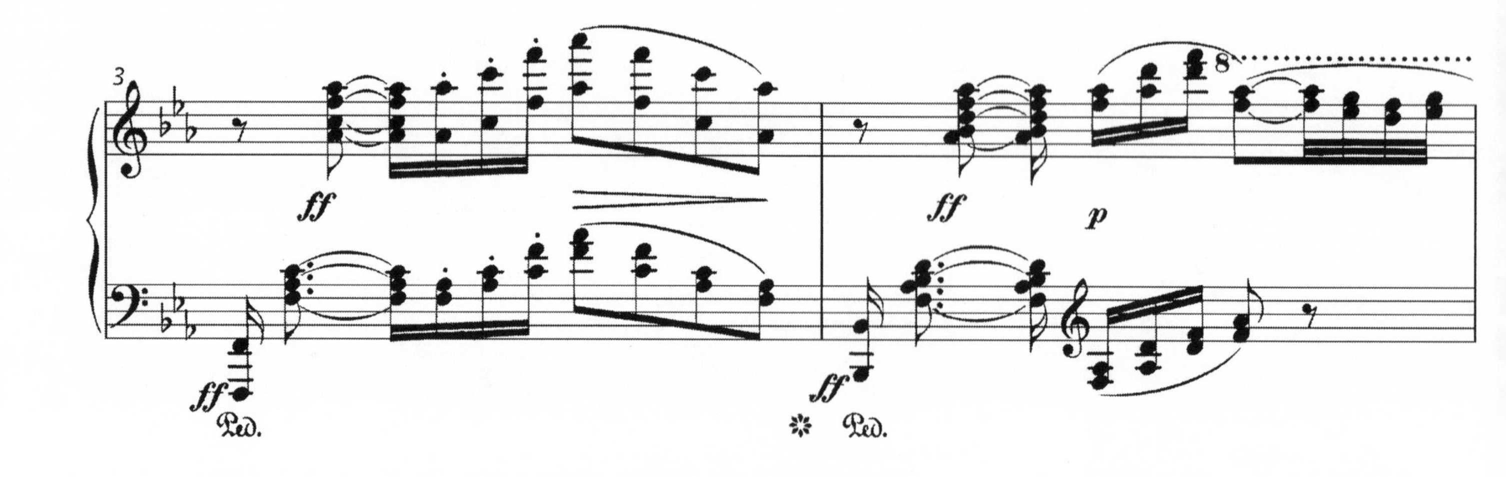

SERENISSIMA MUSIC, INC.

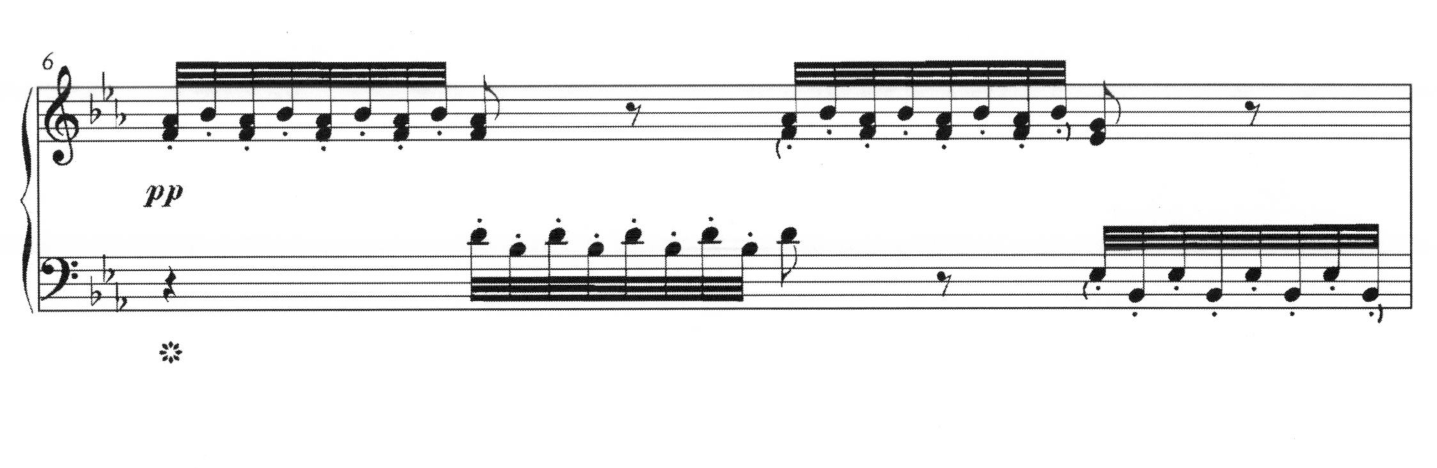
6
pp

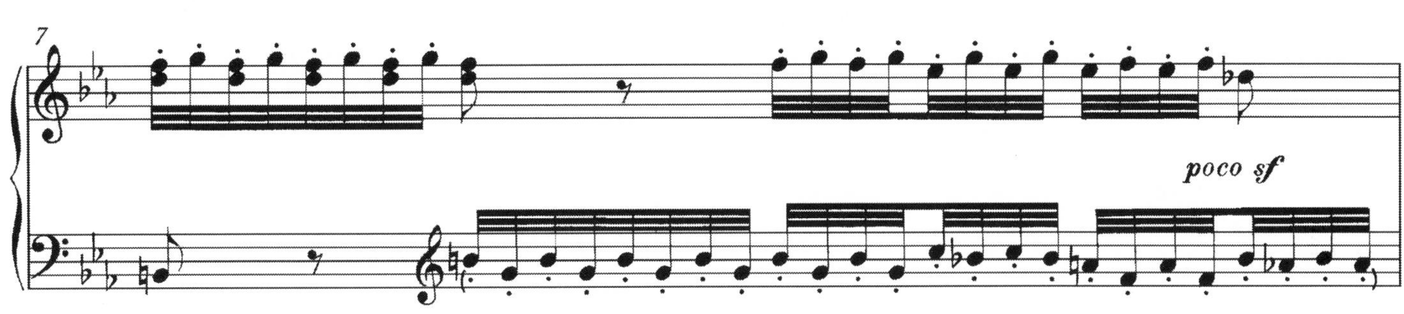
7
poco sf

8
poco sf
cresc. poco a poco

9
sf

10
ff
sf
sf
sf
sf
sf
sf
ff Ped.
Ped.
Ped.
12
sf
sf
sf
sf
ff
sf
sf
sf
sf
Ped.
più f
ff
14
ff
sf
sf
sf
sf
(14)
di - - mi - nu - en - do
Ped.
15
sempre Ped.

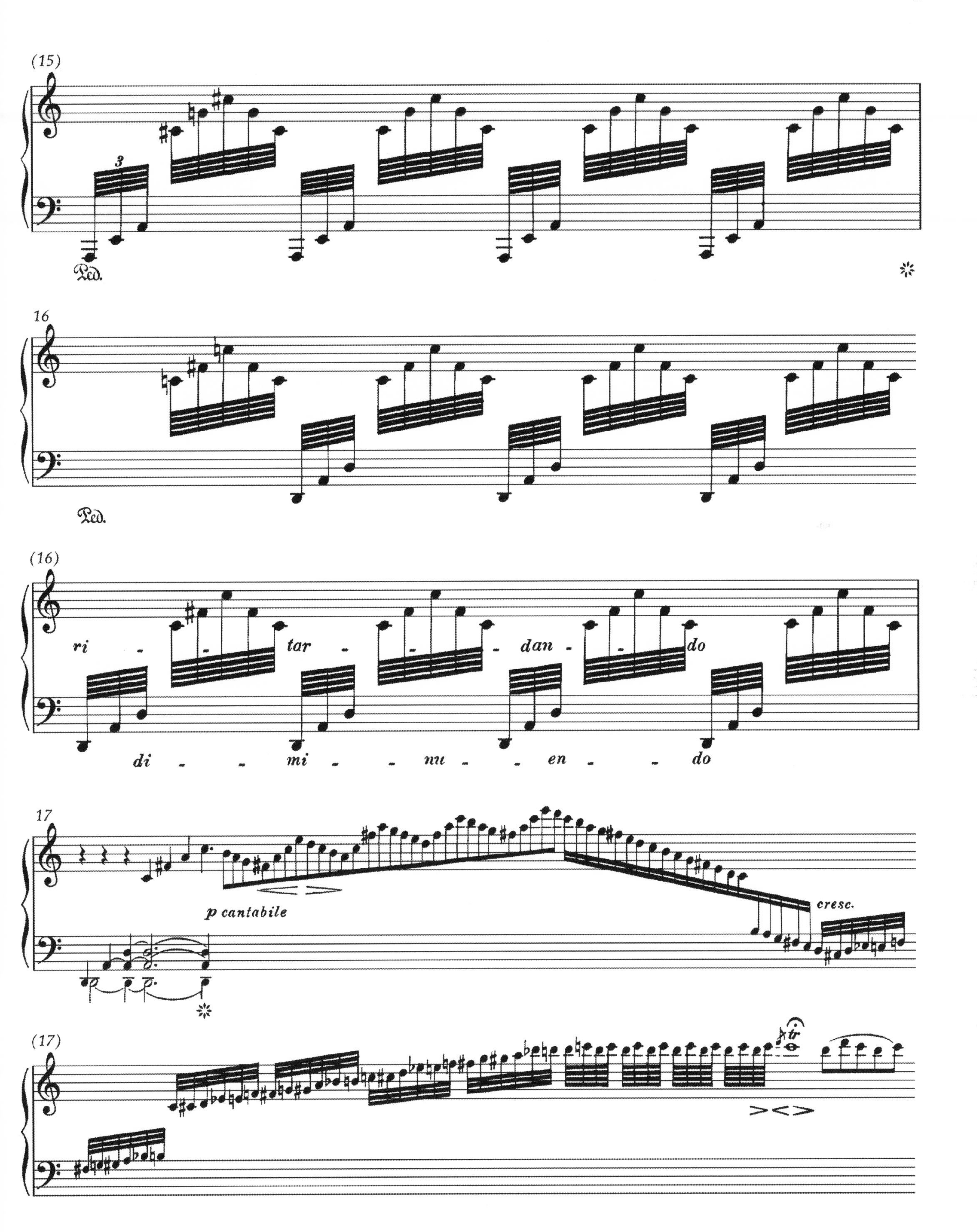

(15)
3
Ped.
16
Ped.
(16)
ri - - tar - - - dan - - do
di - - mi - - nu - - en - - do
17
p cantabile
cresc.
(17)
tr

a tempo
(17)
pp
19
cresc.
sf
sf
sf
sf
20
sf
sf
sf
sf
21
sf
sf
sf
sf
22
f
sf
sf
sf
cresc.

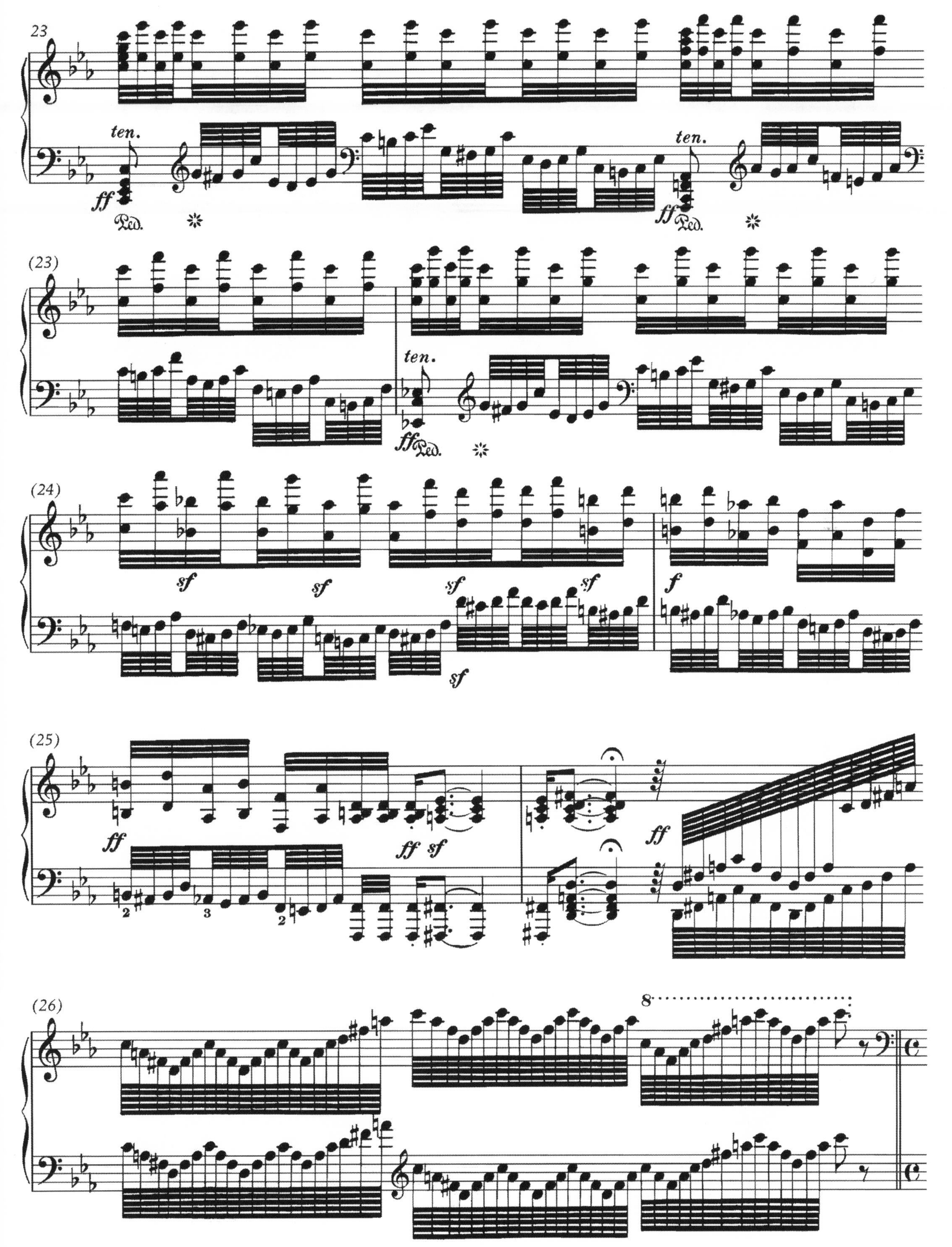
23
ten.
ff
Ped.
ten.
ff Ped.
(23)
ten.
ff Ped.
(24)
sf
sf
sf
sf
sf
f
(25)
ff
ff sf
ff
2
3
2
(26)
8

Finale
Allegro
27
Orchestra
pp
solo
mezza
32
poco adagio
voce
Tempo I
Orch.
pp
38
rit.
poco adagio
Solo
Tempo I
Orch.
pp
Solo
44
Orch.
Solo
Orch.
49
cresc.

Meno Allegro
53
Oboen
Solo mit Orch.
Hörner
60
(p)dolce
64
68
tr
tr
72
8

(72)
tr
p
dolce
tr
p
78
83
p
89
Ob.
dolce
94
100

106
dolce
111
116
122
(pp) dolce
127
132

137
Str.
p
cresc.
Orch.
3
3
f
142
146
sf
150
sf
più f
155
Solo
tr
f
tr
159
Orch.
f.
Solo
8
tr
p
3
p

164
8
tr
3
f
(⟩ p)
p
168
3
f
Ped.
L.H.
172
p dolce
f
Ped.
L.H.
176
p dolce
180
Viola
Vl.I.II
8
184
p
sempre più allegro

Allegro molto
185
ff
188
Orch.
Solo
192
Orch.
196
Solo
Orch.
200
Solo
Orch.
Solo
204
p
Solo
Orch.

208
212
216
cresc.
dimin.
dolce
220
224
227
Vl. I
pp

230
Vl.II
Vl.I
sempre p ed espressivo
235
Vl.II
240
245
cresc.
250
Orch.
f
Solo
ff
255
Orch.
f

260 Solo
ff
f
266
ff
sf
Str.
271
276
281
Ped.
286
8
5
L. R. L. R.
sf

Adagio, non troppo
291
tr
p
dolce
tr
296
8
298
8
cresc.
dim.
10
300
tr
cresc.
304
8
p

306
8
cresc.
p
espressivo
308
310
312
cresc.
dim.
314
pp

Marcia, assai vivace
Orch.
cresc.
f
Solo
ten.
sf
ten.

339
Solo
ten.
Orch.
Orch.
sf
sf
sf
sf
sf
sf
ten.
345
sf
350
dim.
p
più p
355
Solo
Orch.
pp
ppp
Ped.
360
Solo
Orch.
Solo
dolce
pp
ppp
pp
p
Ped.
Ped.

365
sempre legato
Vl. I
Vl. II
Va.
371
Vc.
p
377
4
p
383
cresc.
388
ff
8
Ped.

Allegro
389
Orch.
pp
Ped.
392
Solo
ff
8
Orch.
pp
Ped.
394
cresc.
Allegretto, ma non troppo, (quasi Andante con moto)
398
f
ff
Ped.
3
sf
401
sempre
stacc.
p
f
sf

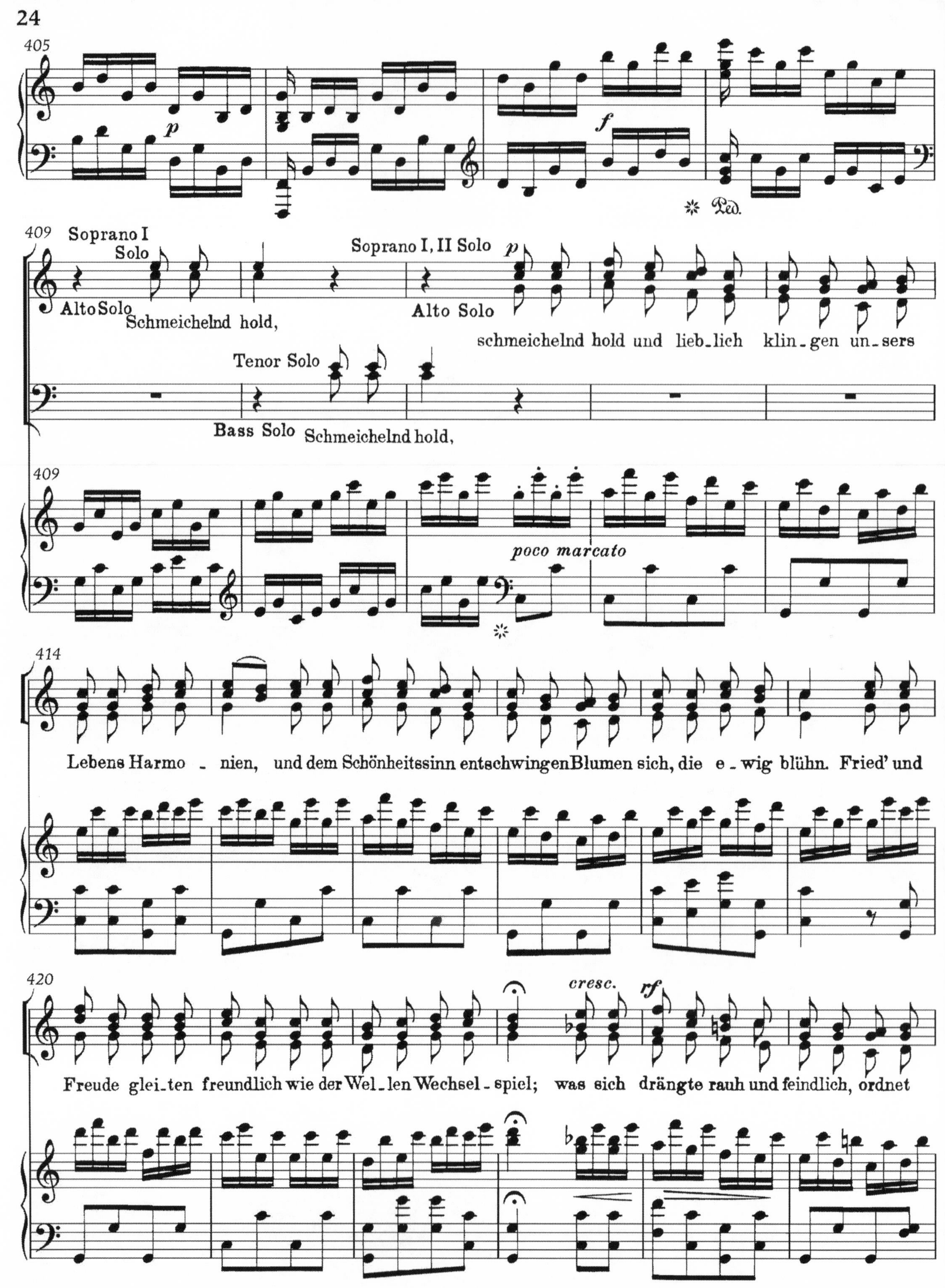
405
p
f
Ped.
409
Soprano I Solo
Soprano I, II Solo
Alto Solo
Schmeichelnd hold,
Alto Solo
schmeichelnd hold und lieb_lich klin_gen un_sers
Tenor Solo
Bass Solo
Schmeichelnd hold,
409
poco marcato
414
Lebens Harmo _ nien, und dem Schönheitssinn entschwingen Blumen sich, die e _ wig blühn. Fried' und
420
cresc.
rf
Freude glei_ten freundlich wie der Wel_len Wechsel _ spiel; was sich drängte rauh und feindlich, ordnet

426
sich zu Hoch - ge - fühl.
Soli
(p)
Tenor I, II
Bass
Wenn der Tö - ne Zau - ber wal - ten und des
426
430
Wor - tes Wei - he spricht, muß sich Herr - li - ches ge -
433
stal - ten, Nacht und Stür - me wer - den Licht, äuß' - re
436
Ru - he, inn' - re Won - ne herr - schen für den Glück - li - chen.

(439)
f
Doch der Kün - ste Früh - lings - son - ne läßt aus bei - den Licht ent -
tr
443
Tutti
f
Gro - ßes, das ins Herz ge - drun - gen, blüht dann neu und schön em -
Tutti
f
stehn. Gro - ßes, das ins Herz ge - drun - gen, blüht dann neu und schön em -
443
8
f
447
por; hat ein Geist sich auf - ge - schwungen, hallt ihm stets ein Gei - ster -
por; hat ein Geist sich auf - ge - schwungen, hallt ihm stets ein Gei - ster -
447

451
chor. Nehmt denn hin, ihr schö _ nen See _ len, froh die Ga _ ben schö _ ner
chor. Nehmt denn hin, ihr schö _ nen See _ len, froh die Ga _ ben schö _ ner
451
fz
fz
455
Kunst. Wenn sich Lieb' und Kraft ver _ mäh _ len, lohnt dem Men _ schen Göt _ ter _
Kunst. Wenn sich Lieb' und Kraft ver _ mäh _ len, lohnt dem Men _ schen Göt _ ter _
455
459
gunst. Nehmt hin, nehmt
gunst. Nehmt hin, nehmt
459
tr
tr
sempre
f
sf
sf

463
hin, ihr schö - nen See - len, nehmt
hin, ihr schö - nen See - len, nehmt
463
Solo
dolce
tr
467
hin, nehmt hin die
hin, nehmt hin die
467
tr
Nehmt denn
471
Solo (p)
Ga - ben schö - ner Kunst. Nehmt denn hin, ihr schö - nen
Solo
p
Ga - ben schö - ner Kunst.
471
8
tr

475
hin, ihr schö - nen See - len, froh die Ga - - ben, die Ga - - ben
Solo (p)
See - len, nehmt denn hin, ihr schö - nen See - len, Nehmt die Ga - - ben
Solo (p)
Nehmt die Ga - - ben
475
cresc.
479
Tutti p cresc.
schö - ner, schö - ner Kunst. Nehmt die Ga - ben, die
Tutti p cresc.
schö - ner, schö - ner Kunst. Nehmt die Ga - ben, die
479 8
più cresc.
483
Ga - - ben schö - - ner Kunst, froh die
Ga - - ben schö - - ner Kunst, froh die
483 8
f

486
Ga - ben, die Ga - ben schö - ner
Ga - ben, die Ga - ben schö - ner
486
8
5
5
489 Presto
f
Kunst, froh die Ga - ben, die Ga - ben schö - ner Kunst.
f
Kunst, froh die Ga - ben, die Ga - ben schö - ner Kunst.
489
8
f
3
494
Nehmt denn hin, ihr schönen Seelen, froh die
Nehmt denn hin, ihr schönen Seelen, froh die
494
3
3
3
3
3

500
Gaben schöner Kunst.
Wenn sich Lieb'
und
Kraft,
Gaben schöner Kunst.
Wenn sich Lieb'
und
Kraft,
500
506
più f
und
Kraft,
und
Kraft
più f
und
Kraft,
und
Kraft
506
8
più f
511
ff
ver
-
mäh
ff
ver
-
mäh
511
8
ff

517
len, lohnt dem Men - schen Göt - ter - gunst, lohnt dem
len, lohnt dem Men - schen Göt - ter - gunst, lohnt dem
517
523
Men - schen Göt - ter - gunst
Göt - - ter -
Men - schen Göt - ter - gunst, lohnt ihm Göt - - ter -
dons
523
529
Nehmt denn hin, ihr schö - nen
Solo p
gunst. Nehmt denn hin, ihr schö - nen See - len, nehmt denn
Solo p
gunst.
529
p

Seelen, nehmt die Gaben, die
hin, ihr schönen Seelen, Nehmt die Gaben, die Ga -
Solo p
Solo p
Nehmt die Gaben, die Ga -
cresc.
ben schöner Kunst. Nehmt die Ga -
Tutti p cresc.
Tutti p cresc.
ben schöner Kunst. Nehmt die Ga -
(f) sempre cresc.
ben, die Gaben schöner Kunst.
f
f
ben, die Gaben schöner Kunst.

554
Wenn sich Lieb' und Kraft vermählen,
lohnt dem
Wenn sich Lieb' und Kraft vermählen,
lohnt dem
554
560
Menschen Götter- gunst.
Wenn sich Lieb'
und
Kraft,
Menschen Götter- gunst.
Wenn sich Lieb'
und
Kraft,
560
566
und
Kraft,
più f
und
Kraft
und
Kraft,
più f
und
Kraft
566
più f

572
(ff)
ver - mäh - - - len,
(ff)
ver - mäh - - - len,
572
8
ff
578
lohnt dem Men - schen Göt - ter - gunst, lohnt dem Men - schen
lohnt dem Men - schen Göt - ter - gunst, lohnt dem Men - schen
578
584
Göt - ter- gunst, lohnt dem Men - schen Göt - ter - gunst,
Göt - ter- gunst, lohnt dem Men - schen Göt - ter - gunst,
584
8

590
Göt - ter, Göt - - - - - - ter -
(lohnt ihm)
Göt - ter, Göt - - - - - - ter -
590
8
ff
ff
595
gunst.
gunst.
595
8
601
8
sempre ff
3
606
8

Made in the USA
Coppell, TX
01 July 2021